FICHA CATALOGRÁFICA

(Preparada na Editora)

Xavier, Francisco Cândido, 1910-2002.

X19m Meditações Diárias / Francisco Cândido Xavier, Espíritos Bezerra de Menezes e Meimei. Araras, SP, 1ª edição, IDE, 2009.

96 p.

ISBN 978-85-7341-461-5

1. Espiritismo 2. Psicografia. I. Bezerra de Menezes. II. Meimei III. Título.

CDD -133.9
-133.91

Índices para catálogo sistemático:

1. Espiritismo 133.9
2. Psicografia: Espiritismo 133.91

Bezerra & Meimei

Meditações Diárias

ISBN 978-85-7341-461-5

1ª edição - setembro/2009
14ª reimpressão - maio/2024

Conselho Editorial:
Doralice Scanavini Volk
Wilson Frungilo Júnior

Produção e Coordenação:
Jairo Lorenzeti

Capa:
César França de Oliveira

Diagramação:
Maria Isabel Estéfano Rissi

Parceiro de distribuição:
Instituto Beneficente Boa Nova
Fone: (17) 3531-4444
www.boanova.net
boanova@boanova.net

Impressão:
Plena Print

INSTITUTO DE DIFUSÃO ESPÍRITA - IDE
Rua Emílio Ferreira, 177 - Centro
CEP 13600-092 - Araras/SP - Brasil
Fones (19) 3543-2400 e 3541-5215
CNPJ 44.220.101/0001-43
Inscrição Estadual 182.010.405.118
www.ideeditora.com.br
editorial@ideeditora.com.br

Psicografado por

Chico Xavier

Pelos Espíritos

Bezerra & Meimei

Meditações Diárias

ide

índice

Mensagens selecionadas dos livros:

Brilhe Vossa Luz, Caminho Espírita, Caridade, Comandos do Amor, Confia e Serve, Notícias do Além, Passos da Vida, Paz e Renovação, Rosas com Amor, Seara de Fé, Servidores no Além, Tempo de Luz, Tesouro de Alegria, Visão Nova. Edições IDE Editora.

extinção do mal

Na didática de Deus, o mal não é recebido com a ênfase que caracteriza muita gente na Terra, quando se propõe a combatê-lo.

Por isso, a condenação não entra em linha de conta nas manifestações da Misericórdia Divina.

Nada de anátemas, gritos, baldões ou pragas.

A Lei de Deus determina, em qualquer parte, seja o mal destruído não pela violência, mas pela força pacífica e edificante do bem.

A propósito, meditemos.

O Senhor corrige:

a ignorância: com a instrução;

o ódio: com o amor;

a necessidade: com o socorro;

o desequilíbrio: com o reajuste;

a ferida: com o bálsamo;

a dor: com o sedativo;

a doença: com o remédio;

a sombra: com a luz;

a fome: com o alimento;

o fogo: com a água;

a ofensa: com o perdão;

o desânimo: com a esperança;

a maldição: com a bênção.

Somente nós, as criaturas humanas, por vezes, acreditamos que um golpe seja capaz de sanar outro golpe.

Simples ilusão.

O mal não suprime o mal.

Em razão disso, Jesus nos recomenda amar os inimigos e nos adverte de que a única energia suscetível de remover o mal e extingui-lo é e será sempre a força suprema do bem.

Bezerra de Menezes

rogativa do outro

Sei que te feri sem querer,
em meu gesto impensado.

Pretendias apoio e falhei, quando mais necessitavas de arrimo. Aguardavas alegria e consolo, através de meus lábios, e esmaguei-te a esperança...

Entretanto, volto a ver-te e rogo humildemente para que me perdoes.

Ouviste a palavra correta e julgaste-me em plena luz, sem perceberes o espinheiro de sombra encravado em minh'alma. Reparaste-me o traje festivo, mas não viste as chagas de desencanto e fraqueza que ainda trago no coração.

Às vezes, encorajo muitos daqueles que me procuram, fatigados de pranto, não por méritos que não tenho, e sim esparzindo os tesouros de amor dos Espíritos generosos que me sustentam; contudo, justamente na hora em que me buscaste, chorava sem lágrimas, nas últimas raias da solidão. Talvez por isso não encontrei comigo senão frieza para ofertar-te.

Releva-me o desespero quando me pedias brandura e desculpa-me o haver-te dado reprovação, quando esperavas entendimento.

Deixa, porém, que eu te abrace de novo, e, então, terás em meus olhos estas breves palavras que me pararam na boca: perdoa-me a falta e tem dó de mim.

Meimei

Espera e confia.
Eis a dupla singular
— Escora que nos descansa:
Sentir sem desanimar,
Nunca perder a esperança.
Se sofres, serve e confia,
Não te queixes, nem te irrites.
Espera. A bênção de Deus
É proteção sem limites.

Meimei

mensagem

Reunidos à luz da prece,

agradecemos ao Senhor as alegrias recebidas e suplicamos novo amparo, a fim de que se nos refaçam as energias para o dever a cumprir.

Estamos reunidos – repetimos – e cada um de nós se caracteriza por mensageiro de problemas determinados perante o Senhor. Entretanto, ser-nos-á útil, decerto, compararnos a problemas diversos para Ele mesmo, o Eterno Amigo, que nos tutelou, perante a Divina Bondade, considerando-nos os destinos perante a Imortalidade.

E, nessa condição, ouçamos a voz da nossa própria Doutrina, através da mensagem de amor que ela irradia, com o fim de entendermos o amor como sendo a chave de solução para todos os enigmas que nos desafiam a alma nas trilhas da evolução.

E é nesse amor a se expressar, como sendo a caridade em ação, que surpreenderemos o Grande Caminho.

Toda vez, filhos, em que se nos apresente a necessidade alheia, eis aí, para nós, a oportunidade e a lição, a luz e a bênção.

Semelhante necessidade se pluraliza de modos múltiplos. É a injúria que nos visita a pedir-nos compreensão e bondade; é a sombra da incompreensão a exigir-nos entendimento e fraternidade; é a dor a solicitar-nos socorro e lenimento; é a lágrima a reclamar-nos consolo e esperança; é a penúria a esperar de nós braços socorredores que lhe atenue os padecimentos.

Reconheçamo-nos, dessa forma, na condição de companheiros do Cristo, que anseia agir por nossas mãos e ver com os nossos olhos, abençoar com a nossa voz e amparar com o nosso discernimento na construção do Reino do Amor e Luz a que fomos trazidos, não só para teorizar e aguardar, mas também para renovar e fazer, elevar e construir.

Tudo, pois, queridos filhos, que pudermos

realizar, se condensa na conjugação ativa do verbo servir.

E servindo, encontraremos a solução para todas as nossas lutas e a resposta para todas as nossas indagações.

Edifiquemos o bem, e o bem se nos levantará na existência em abrigo capaz de nos resguardar contra todas as vicissitudes da vida.

Comecemos, assim, de nossos próprios lares e de nossas próprias instituições, em cujas tarefas somos solicitados aos mais difíceis testemunhos do Evangelho vivo e ativo, em cujo clima, por fim, conseguiremos o Conhecimento Melhor para a conquista da Vida Maior.

Se nos é possível, desse modo, algo dizer-vos, tomamos a liberdade de repetir-vos:

– Filhos, amemo-nos como o Senhor nos amou e todos os nossos problemas serão resolvidos para que a felicidade nos tome finalmente à sua própria conta, investindo-nos na posse da Vida Eterna.

Conosco seja a paz do Senhor, hoje e sempre.

Bezerra de Menezes

ainda hoje

Irritavas-te, ainda hoje, no justo momento da caridade.

E pensavas contigo mesmo: "valerá suportar a bílis do companheiro encolerizado, desculpar o insulto da ignorância, sofrer sem revolta aos golpes da violência e ajudar aos que me incomodam na via pública?"

Refletias a extensão do mal e confiavas-te ao desespero.

Entretanto, não se pode julgar o campo pelo talo de erva, nem avaliar espiritualmente a multidão pelo movimento da praça.

O amigo que te oferece o semblante áspero guarda provavelmente um espinho de aflição a espicaçar-lhe o peito, a pessoa que te injuria talvez padeça lastimável cegueira, a mão que te fere expõe o próprio desequilíbrio e esses rostos ulcerados que te pedem consolo trazem também consigo um coração suspirando por Deus.

Deixa que a bondade se externe por ti, estendendo a fonte da esperança e a melodia da bênção.

Silencia a palavra candente e apaga todo impulso de crueldade.

Ergue ainda hoje os que caíram.

Amanhã, é provável necessites escudar-te naqueles que levantas.

Reflitamos no eterno Amigo que passou na Terra, compreendendo e servindo, sem descrer do amor, embora sozinho nos supremos testemunhos da própria fé.

Ampara, alivia, ilumina e socorre sempre.

Todo auxílio na obra do bem é uma prece silenciosa. E, toda vez que auxilias, o anjo da caridade está perto, orando também por ti.

Meimei

Coloquemos a nossa máquina de serviço em ação, na certeza de que o Divino Mestre nos abençoará e nos sustentará, tanto hoje quanto sempre.

Bezerra de Menezes

dinheiro

O dinheiro não é luz, mas sustenta a lâmpada,.

Não é a paz, no entanto, é um companheiro para que se possa obtê-la.

Não é calor, contudo, adquire agasalho.

Não é o poder da fé, mas alimenta a esperança.

Não é o amor, entretanto, é capaz de erguer-se por valioso ingrediente na proteção afetiva.

Não é o tijolo de construção, todavia, assegura as atividades que garantem o progresso.

Não é cultura, mas apoia o livro.

Não é visão, contudo, ampara o encontro de instrumentos que ampliam a capacidade dos olhos.

Não é base da cura, no entanto, favorece a aquisição do remédio.

Em suma, o dinheiro associado à consciência tranquila, alavanca do trabalho e fonte da beneficência, apoio da educação e alicerce da alegria, é uma bênção do Céu que de modo imediato, nem sempre faz felicidade mas sempre faz falta.

Bezerra de Menezes

Sofre a dor que te intimida
Largando o temor de lado;
Às vezes, o mal na vida
É o bem mal interpretado.

Meimei

esse o caminho

Rogaste a Deus acesso à felicidade.

Entretanto, hoje mesmo, ofereceste aos próprios irmãos o veneno do pessimismo no prato da intolerância.

Gritaste maldição para os que te feriram e acusaste por desertores os amigos que a vida arredou para longe de teu afeto.

Assinalaste companheiros sofredores com objetivos amargos e fugiste à presença dos que te rogavam consolação.

Para e pensa.

Cada pessoa necessitada, quanto cada problema, constituem degraus para a Grande Subida.

A ingratidão dos familiares e o azedume dos que mais amas são convites e apelos à revelação de tua própria bondade.

Suportando o buril, o mármore desvela a obra prima e, tolerando os golpes do arado, é que a terra produz.

Esse é o nosso caminho para o triunfo.

É por isso, talvez, que Jesus escolheu a cruz da renunciação à maneira de trono para a suprema vitória.

Nem conforto entre os homens, nem piedade para si mesmo.

Somente o amor puro, embora sangrando, mas de braços abertos.

Meimei

Nos quadros da Natureza,
Simplicidade parece
A luminosa beleza
Do coração que se esquece.

Meimei

diante de tudo

Diante de tudo, estabelece Jesus para nós todos uma conduta básica, de que todas as providências exatas se derivam para a solução dos problemas no caminho da vida.

Sombra – Caridade da luz.

Ignorância – Caridade do ensino.

Penúria – Caridade do socorro.

Doença – Caridade do remédio.

Injúria – Caridade do silêncio.

Tristeza – Caridade do consolo.

Azedume – Caridade do sorriso.

Cólera – Caridade da brandura.

Ofensa – Caridade da tolerância.

Insulto – Caridade da prece.

Desequilíbrio – Caridade do reajuste.

Ingratidão – Caridade do esquecimento.

Diante de cada criatura, exerçamos a caridade do serviço e da bênção.

Todos somos viajores na direção da Vida Maior.

Doemos amor a Deus, na pessoa do próximo, e Deus, através do próximo, dar-nos-á amor.

Bezerra de Menezes

Caridade!... — noto, ao vê-la,
Em luz de vários matizes, —
A presença de uma estrela
Socorrendo aos infelizes.

Meimei

a lenda da caridade

Diz interessante lenda do Plano Espiritual que, a princípio, no mundo se espalharam milhares de grupos humanos, nas extensas povoações da Terra.

O Senhor endereçava incessantes mensagens de paz e bondade às criaturas, entretanto, a maioria se desgarrou no egoísmo e no orgulho.

A crueldade agravava-se, o ódio explodia...

Diligenciando solução ao problema, o Celeste Amigo chamou o Anjo da Justiça que entrou em campo e, de imediato, inventou o sofrimento.

Os culpados passaram a resgatar os próprios delitos, a preço de enormes padecimentos.

O Senhor aprovou os métodos da Justiça que reconheceu indispensáveis ao equilíbrio da Lei, no entanto, desejava encontrar um caminho menos espinhoso para a transformação dos espíritos sediados na Terra, já que a dor deixava comumente um rescaldo de angústia a gerar novos e pesados conflitos.

O Divino Companheiro solicitou concurso ao Anjo da Verdade que estabeleceu, para logo, os princípios da advertência.

Tribunas foram erguidas, por toda parte, e os estudiosos do relacionamento humano começaram a pregar sobre os efeitos do mal e do bem, compelindo os ouvintes à aceitação da realidade.

Ainda assim, conquanto a excelência das lições propagadas, repontavam dúvidas em torno dos ensinamentos da virtude, suscitando atrasos altamente prejudiciais aos mecanismos da elevação espiritual.

O Senhor apoiou a execução dos planos ideados pelo Anjo da Verdade, observando que as multidões terrestres não deveriam viver ignorando o próprio destino.

No entanto, a compadecer-se dos homens

que necessitavam de reforma íntima sem saberem disso, solicitou cooperação ao Anjo do Amor, à busca de algum recurso que facilitasse a jornada dos seus tutelados para os Cimos da Vida.

O novo emissário criou a caridade e iniciou-se profunda transubstanciação de valores.

Nem todas as criaturas lhe admitiam o convite e permaneciam, na retaguarda, matriculados nas tarefas da Justiça e da Verdade, das quais hauriam a mudança benemérita, em mais longo prazo, mas todas aquelas criaturas que lhe atenderam as petições, passaram a ver e a auxiliar aos irmãos doentes e obsessos, paralíticos e mutilados, cegos e infelizes, os largados à rua e os sem ninguém.

O contato recíproco gerou precioso câmbio espiritual.

Quantos conduziam alimento e agasalho, carinho e remédio para os companheiros infortunados, recebiam deles, em troca, os dons da paciência e da compreensão, da tolerância e da humildade e, sem maiores obstáculos, descobriram a estrada para a convivência com os Céus.

O Senhor louvou a caridade, nela reconhecendo o mais importante processo de orientação e sublimação, a benefício de quantos usufruem a escola da Terra.

Desde então, funcionam, no mundo, o sofrimento, podando as arestas dos companheiros revoltados; a doutrinação informando aos espíritos indecisos quanto às melhores sendas de ascensão às Bênçãos Divinas; e a caridade iluminando a quantos se consagram ao amor pelos semelhantes, redimindo sentimentos e elevando almas, porque, acima de todas as forças que renovam os rumos da criatura, nos caminhos humanos, a caridade é a mais vigorosa, perante Deus, porque é a única que atravessa as barreiras da inteligência e alcança os domínios do coração.

Meimei

Agradecemos o trabalho constante com que vos decidistes a traduzir os ensinamentos do Divino Mestre, socorrendo aos últimos das filas humanas, amparando os desvalidos e agasalhando os nus.

Bezerra de Menezes

o dia começa
ao amanhecer

Compadece-te da criança que segue ao teu lado.

O dia começa ao amanhecer...

Pai, mãe, irmão ou amigo, ampara-lhe a vida, com o teu próprio coração, se pretendes alcançar a Terra Melhor.

Lembra-te das vozes amigas que te induziram ao bem, das mãos que te guiaram para o trabalho e para o conhecimento.

Por que não amparar, ainda hoje, aqueles que serão, amanhã, os orientadores do mundo?

Em pleno santuário da natureza, quantas árvores generosas são asfixiadas no berço? Quanta colheita prematuramente morta pelos vermes da crueldade?

A vida é também um campo divino, onde a infância é a germinação da Humanidade.

Já meditaste nas esperanças aniquiladas ao alvorecer? Já refletiste na flores estranguladas pelas pedras do sofrimento, ante o sublime esplendor da aurora?

Provavelmente dirás: "Como impedirei o sofrimento de milhares?"

Ninguém te pede, porém, para que te convertas num salvador apressado, carregado de ouro e poder.

Basta que abras o coração com a chave da bondade, em favor dos meninos de agora, para que os homens do futuro te bendigam.

Quando a escola estiver brilhando em todas as regiões e quando cada lar de uma cidade puder acolher uma criança perdida – ninho abençoado a descerrar-se, aconchegante, para a ave estrangeira – teremos realmente alcançado, com Jesus, o trabalho fundamental da construção do Reino de Deus.

Meimei

De toda luz que te aclara,
De todos os cireneus,
De todo amor que te ampara,
Mãe é a presença de Deus.

Meimei

diretriz

Filhos, o Senhor nos

abençoe.

Ante as lições do Evangelho, estejamos convencidos de que em todas as crises da existência, como sejam:

Problemas...

Dificuldades...

Incompreensões...

Injúrias...

Provas...

Lutas...

Tribulações...

Amarguras...

Sofrimentos...

Desafios...

Perseguições...

Angústias...

Desilusões...

Tristezas...

Humilhações...

Calúnias...

Sofismas...

Preterições...

Aflições...

Obstáculos...

Privações...

Diante de quaisquer transes da vida, tudo venceremos se nos dispusermos a esquecer o mal, crer no bem e servir com amor.

Bezerra de Menezes

Agradecemos o entendimento com que suportastes críticas e acusações gratuitas, entregando os obstáculos do mundo à Divina Providência.

Bezerra de Menezes

caminhos

Quem te definiu por benfeitor daqueles a quem desataste as cadeias de sofrimento, quando estendias a mão para auxiliar?

Não olvides que ajudavas também a ti mesmo, construindo os caminhos da própria libertação.

Esses corações enregelados no frio do desencanto, que trazes de novo ao sol da vida, brilharão amanhã por luzeiros de consolo para teus olhos, quando a sombra te nevoar a visão e essas almas atormentadas, que arrebatas ao incêndio de transes arrasadores, para mitigar-lhes a sede na taça de teu carinho, ser-te-ão, de futuro, quais fontes de água fresca, quando as provas do mundo te descerrarem aos pés o trilho de sarça ardente.

Essas crianças famintas que conchegas de encontro ao peito, surgirão, mais tarde, por vasos de luz para a tua esperança e esses amigos desfalecentes, que o mundo situa agora nos vales da enfermidade e da prostração, erguidos por teus braços, serão como pontes providenciais, facilitando-te a passagem, quando pedras e espinhos te dificultarem a marcha.

Cada ouvido a que chegue tua mensagem de entendimento será uma voz, que falará aos ouvidos do mundo, em favor de teu ideal.

Segue amando e servindo sempre.

Muitos estacionarão para sorrir ante a história da víbora que o inverno entorpecera... Encontrada por um devoto foi por ele piedosamente reaquecida, mais eis que, voltando ao calor e ao movimento, mordeu-lhe as mãos de amigo, inoculando-lhes peçonha mortal.

Essa lenda, no entanto, foi inventada pela imaginação do pessimismo para os lazeres da indiferença.

Procurarás, no entanto, por tua vez, o Mestre Divino e contar-te-á o Senhor a apoteose da cruz, que, recebida por Ele entre o silêncio do perdão e as preces de amor, se converteu numa escada de triunfo e ressurreição, para que se lhe expandisse a vitória nos Céus.

Meimei

quanto mais

Abençoai sempre as vossas dificuldades e não as lastimeis, considerando que Deus nos concede sempre o melhor e o melhor tendes obtido constantemente com a possibilidade de serdes mais úteis.

Quanto mais auxiliardes aos outros, mais amplo auxílio recebereis da Vida Mais Alta.

Quanto mais tolerardes os contratempos do mundo, mais amparados sereis nas emergências da vida, em que permaneceis buscando paz e progresso, elevação e luz.

Quanto mais liberdade concederdes aos vossos entes amados, permitindo que eles vivam a existência que escolheram, mais livres estareis para obedecer a Jesus, construindo a vossa própria felicidade.

Quanto mais compreenderdes os que vos partilham os caminhos humanos, mais respeitados vos encontrareis de vez que, quanto mais doardes do que sois em benefício alheio, mais ampla cobertura de amparo do Senhor assegurará a tranquilidade em vossos passos.

Continuemos buscando Jesus em todos os irmãos da Terra, mas especialmente naqueles que sofrem problemas e dificuldades maiores que os nossos obstáculos, socorrendo e servindo e sempre mais felizes nos encontraremos sob as bênçãos dele, nosso Mestre e Senhor.

Bezerra de Menezes

Na vida, nada se faz
Que mostre justo valor
Sem a presença da paz
Entre palavras de amor

Meimei

oração diante da palavra

Senhor

Deste-me a palavra por semente de Luz.

Auxilia-me a cultivá-la.

Não me permitas envolvê-la na sombra que projeto.

Ensina-me a falar para que se faça o melhor.

Ajuda-me a lembrar o que deve ser dito e a lavar da memória tudo aquilo que a tua bondade espera se lance no esquecimento.

Onde a irritação me procure, induze-me ao silêncio, e, onde lavre o incêndio da incompreensão ou do ódio, dá que eu pronuncie a frase calmante que possa apagar o fogo da ira.

Em qualquer conversação, inspira-me o conceito certo que se ajuste à edificação do bem, no momento exato, e faze-me vigilante para que o mal não me use, em louvor da perturbação.

Não me deixes emudecer, diante da verdade, mas conserva-me em tua prudência, a fim de que eu saiba dosar a verdade em amor, para que a compaixão e a esperança não esmoreçam, junto de mim.

Traze-me o coração ao raciocínio, sincero sem aspereza, brando sem preguiça, fraterno sem exigência e deixa, Senhor, que a minha palavra te obedeça a vontade, hoje e sempre.

Meimei

Agradecemos o espírito de fraterniade com que dialogastes, construtivamente, com os amigos distanciados do Bem, suportando com serenidade os agravos e as agressões.

Bezerra de Menezes

um quarto de hora

Quando tiveres um quarto de hora à disposição reflete nos benefícios que podes espalhar.

Recorda o diálogo afetivo com que refaças o bom ânimo de algum familiar, dentro da própria casa; das palavras de paz e amor que o amigo enfermo espera de tua presença; de auxiliar em alguma tarefa que te aguarde o esforço para a limpeza ou o reconforto do próprio lar; da conversação edificante com uma criança desprotegida que te conduzirá para a frente as sugestões de boa vontade; de estender algum adubo à essa ou aquela planta que se te faz útil; e do encontro amistoso, em que a tua opinião generosa consiga favorecer a solução do problema de alguém.

Quinze minutos sem compromisso são quinze opções na construção do bem.

Não nos esqueçamos de que a floresta se levantou de sementes quase invisíveis, de que o rio se forma das fontes pequeninas e de que a luz do Céu, em nós mesmos, começa de pequeninos raios de amor a se nos irradiarem do coração.

Meimei

Ao coração que consola
Os irmãos de alma ferida
Deus envia, de hora em hora,
O socorro sem medida

Meimei

ponderação

Diante do mal quantas vezes!...

Censuramos o próximo...

Desertamos do testemunho da paciência...

Criticamos sem pensar...

Abandonamos companheiros infelizes à própria sorte...

Esquecemos a solidariedade...

Fugimos ao dever de servir...

Abraçamos o azedume...

Queixamo-nos uns dos outros...

Perdemos tempo em lamentações...

Deixamos o campo das próprias obrigações...

Avinagramos o coração...

Desmandamo-nos na conduta...

Agravamos problemas...

Aumentamos os próprios débitos...

Complicamos situações...

Esquecemos a prece...

Desacreditamos a fraternidade...

E, às vezes, olvidamos até mesmo a fé viva em Deus...

Entretanto, a fórmula da vitória sobre o mal ainda e sempre é aquela senha de Jesus:

AMAI-VOS UNS AOS OUTROS COMO EU VOS AMEI!...

Bezerra de Menezes

Quando falar de Jesus
Frase que acabas de expor
Parece um ramo de luz
Coberto de fruto e flor.

Meimei

medita e
ouve

Nas horas de alegria, quando nobres aspirações atingidas te ampliem os ideais, medita na Divina Providência que te ilumina a alma e deixa que a inspiração da Espiritualidade te auxilie a dividir a própria felicidade com aqueles que te rodeiam.

Nos dias de aflição, quando problemas e provas te esfogueiam o espírito, medita na Bondade Ilimitada do Criador e espera com paciência as soluções desejadas, trabalhando e servindo para que se faça o melhor.

Nos momentos de tentação, quando a sombra te envolva as construções espirituais, medita no Amparo do Senhor e acende a luz da resistência nos recessos do próprio ser para que te recoloques no rumo da vitória sobre ti mesmo.

Nos instantes de tristeza, quando dificuldades do sentimento te marquem a estrada, anunciando-te amargura ou desilusão, medita no Socorro Celestial e reconstituirás as próprias energias para que a fé te reajuste a serenidade.

Nas ocasiões de crises e lágrimas com que a sabedoria da vida te examina a segurança, medita no Apelo de Deus e criarás nova força para vencer os obstáculos do caminho em que segues, buscando a realização dos sonhos mais íntimos.

Quanto possível, de permeio com o trabalho a que a existência te induz, em teu próprio auxílio – com base na prece – medita e ouve a música que nasce nas fontes do Eterno Bem.

Ouçamos as melodias da paz e do amor que nos lembrem a harmonia do Universo, e qualquer tempo, nos campos da alma, se nos transformará no calor da compreensão e na alegria da bênção.

Meimei

Agradecemos o amor que doastes aos irmãos em dificuldade ou penúria.

Bezerra de Menezes

pagar até o último ceitil

– "Digo-te que dali não sairás enquanto não tiveres pago até o último ceitil!"

O Mestre reportava-se a resgates dolorosos, a difíceis prestações de contas e a consequências desastrosas de atos irrefletidos, quando assim falou.

Entretanto, essas mesmas palavras se aplicam também ao recebimento de verdadeiras recompensas pelos atos bons, à prestação de contas com juros, até no campo do bem e com vistas a prêmios concedidos a trabalhadores dignos.

É isso que faz com que os nossos corações exultem de alegria e felicidade em meditar que agora somos um pouquinho mais esclarecidos na faceta do amor que tempera a justiça.

Bem sabeis que, primitivamente, a palavra justiça inspirava temor, evocava castigo e até mesmo o inferno considerado sem fim.

Entretanto, agora que a luz da Terceira Revelação ilumina toda a Terra, quando não seja claramente em livros ou palestras, pelo menos no íntimo das consciências que aos poucos despertarão para a realidade da vida e da possibilidade da comunicação entre os dois planos.

Em nossa época, repetimos, é imenso o nosso regozijo, porque vemos quão blasfema era a ideia de um castigo sem remissão e como a justiça se ocupava quase que exclusivamente em maltratar e punir.

Hoje, porém, temos os olhos mais abertos para o amor de Deus.

Como não cessa Ele de distribuir prêmios, bênçãos e alegria, vos pedimos que confieis nessa justiça imensa e nesse amor infinito, que não deixa passar a menor ação sem abençoar e sem conduzir para o caminho reto, quando se trata de ação d'Ele desviada.

Elevemos o coração ao Pai com gratidão imensa e peçamos para que todos os que não compreendem a Divina Justiça, venham a fazê-lo em breve tempo.

Assim seja!

Bezerra de Menezes

socorre,
meu filho

Não passes distraído, diante

da dor.

Nesses semblantes, que o sofrimento descoloriu e nessas vozes fatigadas, em que a tortura plasmou a escala de todos os gemidos, Jesus, o nosso Mestre Crucificado, continua incompreendido e desfalecente...

Nessas longas multidões de aflitos e infortunados, encontrarás a nossa própria família.

Quantos deles albergaram esperanças, iguais àquelas que nos alimentam os sonhos, sem qualquer oportunidade de realização? Quantos tentaram atingir a presença da luz, incapazes de vencer a opressão das trevas?!...

Essas crianças, caídas no berço da angústia, esses enrugados velhinhos sem ninguém, essas criaturas que a ignorância e a provação mergulharam no poço da enfermidade ou no espinheiro do crime, são nossos irmãos, à frente do Eterno Pai!...

Estende-lhes tua alma, na dádiva que possas oferecer, guardando a certeza de que, amanhã, provavelmente, estarás também suspirando pelo bálsamo do socorro, na bênção de um pão ou na luz de uma prece amiga!

Recorda que as mãos, hoje, por ti libertadas dos grilhões da penúria, podem ser aquelas que, amanhã, chegarão livres e luminosas, em teu auxílio!...

Ao pé de cada coração desventurado, Jesus nos espera, em silêncio.

Socorre, pois, meu irmão, e na doce melodia do bem, ainda mesmo que dificuldades e sombras te ameacem a luta, ouvirás, no imo do coração, a voz do Divino Mestre, a encorajar-te, paciente e amoroso: "Tem bom ânimo! Eu estou aqui".

Meimei

Provas, lágrimas, problemas
Aflições em frenesi?
Não te assombres e nem temas,
O Céu cuidará de ti.

Meimei

Bezerra de Menezes

(Espírito)

Dr. Bezerra de Menezes é uma das Entidades espirituais mais queridas da família espírita brasileira.

Em sua existência física, transcorrida no período 1831-1900, foi um médico ilustre e abnegado, na cidade do Rio de Janeiro, sendo cognominado pelo povo, com muita justiça, de "Médico dos Pobres". E, no campo doutrinário, destacou-se como um espírita virtuoso e devotado, sendo intitulado de "Kardec brasileiro".

Há mais de um século, domiciliado no Plano Espiritual, Dr. Bezerra continua em intensa atividade de assistência e esclarecimento às criaturas encarnadas e desencarnadas, comandando uma legião de auxiliares, incansáveis missionários da luz.

Os dois notáveis médiuns brasileiros, Eurípedes Barsanulfo (1880-1918) e Chico Xavier (1910-2002) receberam uma assistência espiritual especial do Dr. Bezerra.

Na obra *Eurípedes - O Homem e a Missão,* cap. 13, a autora, Profa. Corina Novelino, registrou: "Efetivamente, o Espírito Bezerra de Menezes fora o companheiro dedicadíssimo, o colaborador da Missão esplendorosa, onde ambos granjearam uma folha de serviços na Seara de Jesus, cujo valor dimensional não podemos aquilatar."

Quanto a Chico Xavier, sabemos que o Dr. Bezerra sempre atendeu às solicitações, feitas por intermédio do médium, de orientações doutrinárias e de saúde. O receituário psicográfico, quase totalmente homeopático, recebeu a sua assinatura, durante décadas.

Além dessa atividade caritativa, ele também escreveu numerosas e belas mensagens doutrinárias, que constituíram dois livros de sua autoria exclusiva e integraram muitas outras obras de Autores Diversos.

Recentemente foi lançado o filme biográfico *Bezerra de Menezes: o Diário de um Espírito,* com grande sucesso de bilheteria em todo o país.

Meimei
(Espírito)

Meimei, em sua última encarnação, recebeu o nome de Irma de Castro Rocha. Nasceu em Mateus Leme, MG, a 22 de outubro de 1922, e deixou o Plano Físico em Belo Horizonte, MG, a 19 de outubro de 1946.

Nos estudos, sempre foi uma aluna brilhante, mas cursou somente até o 2º Ano do Curso Normal (para formação de professores primários) devido à sua enfermidade. Adquiriu grande cultura ao "devorar livros", porém nada escreveu.

Em 1942, casou-se com Arnaldo Rocha. Sobre a origem do apelido Meimei, seu marido nos traz a seguinte explicação (*Meimei, Vida e Mensagem,* Arnaldo Rocha, Alberto de Souza Rocha e Wallace L. V. Rodrigues, O Clarim, p. 47 e 78.): "Era normal lermos livros juntos.

(...) Conhecíamos toda a obra traduzida de Lyn Yutang. Grande admiração possuíamos por esse autor. Meimei, após a leitura de *Um Momento em Pequin*, passou a chamar-me de meu "Meimei", pois possuía antigamente, quando mais novo, os olhos rasgados como um mongol. Ambos nos mimoseávamos com milhões de carinhosos e ternos apelidos." Passaram a chamar-se um ao outro de Meimei, mas, com o tempo, esta designação, que na língua chinesa significa "amor puro", prevaleceu para ela.

Seu esposo Arnaldo, que dirigiu o Grupo Meimei, de Pedro Leopoldo, MG, encarregado das tarefas de desobsessão, e que organizou os livros *Instruções Psicofônicas, Falando à Terra* e *Vozes do Grande Além,* constituídos de mensagens psicofônicas recebidas por Chico Xavier, narra algumas atividades de Meimei no Mundo Maior ao responder à seguinte pergunta de Wallace:

"– Você pode nos dizer como Meimei se encontra na vida espiritual?

– Meimei fala-nos das suas tarefas junto à infância. Procure o livro do amado André Luiz, *Entre a Terra e o Céu,* capítulos 9 e 10, e você ficará inteirado a respeito de seus afazeres. Blandina é o nome de Meimei. (...) Mas, além de cuidar de crianças, existem também enfermos, encarnados e desencarnados, aos quais se dedica amorosamente, sob a orientação de Frei Pedro de Alcântara – o Quinto Varro – que é o irmão Corvino em *Ave, Cristo!* (*Meimei, Vida e Mensagem,* p. 67.)

Além dessas atividades, ela escreveu excelentes livros, pela psicografia de Chico Xavier, assim intitulados: *Pai Nosso, Cartilha do Bem, Evangelho em Casa, Amizade, Palavras do Coração, Deus Aguarda, Sentinelas da Alma, Somente Amor* (com Maria Dolores), bem como numerosas mensagens publicadas em obras de Autores diversos, tais como: *Instruções Psicofônicas, Mãe* e *Aulas da Vida.*

No século I, a senhora romana Blandina foi uma das pioneiras da evangelização infantil

Ignácio de Antioquia (27-117), um dos mais destacados apóstolos do Cristianismo primitivo, estando no distante reino de Pontus (hoje, norte da Turquia), em noite estrelada no ano 75, recebeu uma rápida visita do Cristo, que Lhe transmitiu apenas esta orientação:

"– Ignácio, lembra-te do que disse aos meus discípulos para que deixassem vir a mim as criancinhas!"

Logo após a visão inesquecível, o apóstolo falou ao seu companheiro de jornada:

"– Cefas, meu filho, Jesus veio nos dar a sua bênção misericordiosa, instruindo-nos no caminho a seguir. De hoje em diante, nos devotaremos à evangelização da criança para o Cristo. Apollônia Pôntica vai marcar o início de novas atividades com Jesus. Haveremos de encontrar corações devotados à infância para guiá-la em nome do Mestre para as bênção da Eterna Luz!

De fato, assim foi feito desde a manhã que se seguiu ao encontro espiritual.

Em Apollônia Pôntica, generosas senhoras se predispuseram ao trabalho de amparar e instruir as criancinhas para as luzes do Evangelho de Jesus. Foi lá que Ignácio e Cefas encontraram uma jovem senhora romana, de nome Blandina[3], que se destacou pelo devotamento e pelo carinho no amparo aos pequeninos. Desde então, em todas as partes, em vinte e um séculos de Cristianismo, a Humanidade assiste ao desdobramento e à multiplicação da árdua e meritória tarefa da evangelização infantil."

Em nota de rodapé, nº 3, do cap. XXXIV, da obra *Ignácio de Antioquia* (médium Geraldo Lemos Neto), o autor espiritual Theophorus registra: "Uma das encarnações da benfeitora espiritual Meimei."

Meditações Diárias
Chico Xavier | André Luiz

Desde a publicação do livro Nosso Lar, em 1943, recebido pelo médium Chico Xavier, o seu autor espiritual, André Luiz, ficou muito conhecido, pois foi o primeiro de uma série de treze livros que, num estilo inconfundível, veio desvendar a vida no Plano Espiritual.

Mas além dessas obras, o Espírito André Luiz também enriqueceu a literatura espírita com suas mensagens esclarecedoras, de abordagem direta, nos chamando para a responsabilidade de nossos atos no dia-a-dia de nossa vida.

E este livro encerra uma coletânea de suas melhores mensagens, sempre em parceria com o grande médium Chico Xavier, proporcionando, ao prezado leitor, momentos de reflexão para uma vida mais feliz dentro dos preceitos do Cristianismo Redivivo.

ISBN: 978-85-7341-440-0 | ***Mensagens***
Páginas: 160 | **Formato:** 14 x 21 cm

Meditações Diárias
Chico Xavier | Emmanuel

Emmanuel foi o dedicado Guia Espiritual de Chico Xavier e Supervisor de sua obra mediúnica, que deu origem a mais de 400 livros, desdobrando a Codificação realizada por Allan Kardec.

Do seu passado espiritual, sabemos que nos últimos vinte séculos, ele reencarnou várias vezes. Assim, o conhecido romance "Há 2.000 anos..." apresenta-nos a sua existência na figura do senador Públio Lentulus, autor da célebre carta endereçada ao Imperador romano, onde fez o retrato físico e moral de Jesus.

E este livro encerra uma coletânea de suas melhores mensagens, sempre em parceria com o grande médium Chico Xavier, proporcionando, ao prezado leitor, momentos de reflexão para uma vida mais feliz dentro dos preceitos do Cristianismo Redivivo.

ISBN: 978-85-7341-449-3 | ***Mensagens***
Páginas: 160 | **Formato:** 14 x 21 cm